중국어 대중가요 가사해설

중국어 대중가요 가사해설

발　행 | 2024년 6월 18일
저　자 | 김형진
펴낸이 | 한건희
펴낸곳 | 주식회사 부크크
출판사등록 | 2014.07.15.(제2014-16호)
주　소 | 서울특별시 금천구 가산디지털1로 119 SK트윈타워 A동 305호
전　화 | 1670-8316
이메일 | info@bookk.co.kr

ISBN | 979-11-410-8980-1

www.bookk.co.kr

중국어 대중가요 가사 해설

김형진 지음

CONTENT

1 你怎么说
Nǐ zěnme shuō
니 쩐머 슈어/너 뭐라말하니

邓丽君 Dènglìjūn

我 没 忘记 你 忘记 我
Wǒ méi wàngjì nǐ wàngjì wǒ
워- 메이 와앙 지- 니- 와앙 지- 워-

난 니가 날 잊은 걸 잊지 않았어

[忘记] wàngjì 잊을 망,기억할 기/잊어먹다

连 名字 你都 说错
Lián míngzì nǐ dōu shuō cuò
리앤 미잉 쯔- 니- 더우 슈어 추오

넌 이름조차 엉터리로 말하다니

[连] lián 이을 련/~조차도
[说错] **shuō cuò** 말씀 설, 섞일 착/틀리게 말하다

证明 你 一切 都 是 在 骗 我
Zhèngmíng nǐ yīqiè dōu shì zài piàn wǒ
쪄엉 미잉 니- 이이 치에 떠우 셔 짜이 피앤 워-

넌 전부 날 속인 걸 증명하는 거야

[骗] [騙] piàn 속일 편/ 속이다

看 今天 你怎么 说
Kàn jīntiān nǐ zěnme shuō
카안 찌인 티앤 니- 쩌언 머어 슈어

오늘 니가 뭐라 말하는 지 보자

你 说过 两天 来 看 我
Nǐ shuōguò liǎng tiān lái kàn wǒ
니- 슈어 구어 리앙 티앤 라이 카안 워-

너 이틀이면 날 만나러 온다고 말했었지

[说过]shuōguò /말했다

一 等 就是 一年 多
Yī děng jiùshì yī nián duō
이이 떠엉 지어우 셔- 이- 니앤 뚜어

기다림이 일년이나 되었네

[等] děng 등급 등/기다리다

三百 六十五 个 日子不 好过
Sānbǎi liùshíwǔ gè rìzi bù hǎoguò
싸안 바이 리어우 셔-우우 거어 러-즈- 뿌우 하오구어

365일이 힘들게 지나고

[日子] rìzi 날,날수,시간

你 心里 根本 没有 我
Nǐ xīnlǐ gēnběn méiyǒu wǒ

니- 씨인 리이 꺼언 버언 메이 여우 워-

니 맘에 나는 아예 없는 거지

[根本] gēnběn /근본,본래,시종

把 我的 爱情 还 给 我
Bǎ wǒ de àiqíng huán gěi wǒ
바아 워- 디 아이 치잉 화안 게이 워-

네게 준 그 사랑은 내게 돌려줘

[把] bǎ 잡을 파/쥐다
(개사) 동사+목적어, 동사 앞에 전치되어 처치(處置)
[还给] huán gěi 돌아올 환, 줄 급/~에게 돌려주다

我 没 忘记 你 忘记 我
Wǒ méi wàngjì nǐ wàngjì wǒ
워- 메이 와앙 지- 니- 와앙 지- 워-

난 니가 날 잊은 걸 잊지 않았어

连 名字 你都 说错
Lián míngzì nǐ dōu shuō cuò
리앤 미잉 쯔- 니- 더우 슈어 추어

넌 이름조차 엉터리로 말하다니

证明 你 一切 都 是 在 骗 我
Zhèngmíng nǐ yīqiè dōu shì zài piàn wǒ
쪄엉 미잉 니- 이이 치에 떠우 셔 짜이 피앤 워-
넌 전부 날 속인 걸 증명하는 거야

看 今天 你怎么 说
Kàn jīntiān nǐ zěnme shuō
카안 찌인 티앤 니- 쩌언 머어 슈어

오늘 니가 뭐라 말하는 지 보자

你 说过 两天 来 看 我
Nǐ shuōguò liǎng tiān lái kàn wǒ
니- 슈어 구어 리앙 티앤 라이 카안 워-

너 이틀이면 날 만나러 온다고 말했었지

一 等 就是 一年 多
Yī děng jiùshì yī nián duō
이 떠엉 지어우 셔- 이- 니앤 뚜어

기다림이 일년이나 되었네

三百 六十五 个 日子不 好过
Sānbǎi liùshíwǔ gè rìzi bù hǎoguò
싸안 바이 리어우 셔-우우 거어 러-즈- 뿌우 하오구어

365일이 힘들게 지나고

你 心里 根本 没有 我
Nǐ xīnlǐ gēnběn méiyǒu wǒ
니- 씨인 리이 꺼언 버언 메이 여우 워-

니 맘에 나는 아예 없는 거지

把 我的 爱情 还 给 我
Bǎ wǒ de àiqíng huán gěi wǒ
바아 워- 디 아이 치잉 후안 게이 워-

네게 준 그 사랑은 내게 돌려줘

你 说过 两天 来 看 我
Nǐ shuōguò liǎng tiān lái kàn wǒ
니- 슈어 구어 리앙 티앤 라이 카안 워-

너 이틀이면 날 만나러 온다고 말했었지

一 等 就是 一年 多
Yī děng jiùshì yī nián duō
이 떠엉 지어우 셔- 이- 니앤 뚜어

기다림이 일년이나 되었네

三百 六十五 个 日子不 好过
Sānbǎi liùshíwǔ gè rìzi bù hǎoguò
싸안 바이 리어우 셔-우우 거어 러-즈- 뿌우 하오구어

365일이 힘들게 지나고

你 心里 根本 没有 我
Nǐ xīnlǐ gēnběn méiyǒu wǒ
니- 씨인 리이 꺼언 버언 메이 여우 워-

니 맘에 나는 아예 없는 거지

把 我的 爱情 还 给 我
Bǎ wǒ de àiqíng huán gěi wǒ
바아 워- 디 아이 치잉 후안 게이 워-

네게 준 그 사랑은 내게 돌려줘

2 青花

Qīnghuā

칭후아/ 청화백자

周传雄 Zhōu chuán xióng

三月走過 柳 絮 散 落 恋 人 们 匆 匆

Sānyuè zǒuguò liǔxù sǎn luò liàn rén men cōng cōng

산위에 저우구어 리어우쉬- 사안루오 러언먼 초옹초옹

삼월이 지나며

버드나무 솜 흩어지고 연인들은 총총걸음

[柳絮] liǔ xù 버드나무 류, 솜 서/버들개지
[散落] sǎn luò 헤칠 산, 떨어질 락/흩어져 떨어지다
[匆匆] cōng cōng 바쁠 총/바쁘게, 황급히

我 的 爱 情 闻 风 不 动

wǒ de ài qíng wén fēng bú dòng

워 더 아이 치잉 원퍼엉 부우 뚜웅

듣자니 내 사랑은 흔들림 없다하네

[闻风] wén fēng 들을 문, 바람 풍/소문을 듣다

翻 阅 昨 日 仍 有 温 度

fān yuè zuó rì réng yǒu wēn dù

판 위에 쭈오 러- 러엉 여유 워언 뚜-

어제 읽은 편지 아직도 따뜻하네요

[翻阅] fān yuè 날 번, 점고할 열/읽어보다
[仍] réng 인할 잉/아직도

蒙 尘 的 心 事
méng chén de xīn shì
머엉 처언 더 신- 셔-

먼지 덮어 쓴 내 마음은

[蒙尘] méng chén 입을 몽, 티끌 진/먼지 덮어쓰다
[心事] xīn shì 마음 심, 일사/염원

恍 恍 惚 惚 已 经 隔 世
huǎng huǎng hū hū yǐ jīng gé shì
후앙후앙 후우후우 이지잉 꺼어 셔

어렴풋해져 이미 딴 세상이네

[恍恍惚惚] huǎng hū 어슴푸레 황, 황홀할 홀/아련하다
[隔世] gé shì 사이 뜰 격, 대 세/ 딴 세상

遗 憾 无 法 说 惊 觉 心 一 缩
yí hàn wú fǎ shuō jīng jiào xīn yì suō
이이 하한 우우파아 슈어 지잉 지아오 시인 이 쑤어

놀란 가슴 오싹한 걸 말할 수 없어 아쉽다

[遗憾] yí hàn 남을 유, 한할 감/아쉽다
[无法] wú fǎ 없을 무, 법 법/도리가 없다
[惊] jīng 놀랄 경/놀라다 [缩] suō 줄 축/오그라들다

紧 紧 握 着 青 花 信 物
jǐn jǐn wò zhe qīng huā xìn wù
지인 지인 워 저 치잉 후와 시인 우우

청화백자 증표 손에 바짝 쥔 채로

[紧紧] jǐn jǐn 팽팽할 긴/바짝

[握着] wò zhe 쥘 악/쥐고서
[青花] qīng huā 푸를 청, 꽃 화/청화백자
[信物] xìn wù 믿을 신, 물 물/증표

信 守 着 承 诺
xìn shǒu zhe chéng nuò
씨인 셔우 져- 처엉 누어

약속을 지키고 있어

[信守] xìn shǒu 믿을 신, 지킬 수/지키다
[承诺] chéng nuò 받들 승, 대답할 낙/약속

离 别 总 在 失 意 中 度 过
lí bié zǒng zài shī yì zhōng dù guò
리이 비에 쪼옹 짜이 셔-이이 쭝 뚜우 꾸어

헤어지면 항상 실의에 빠지고

[失意] shī yì 잃을 실, 뜻 의/낙담하다
[中度过] zhōng dù guò /~속에 보내다

记忆 油 膏 反 复 涂 抹
jì yì yóu gāo fǎn fù tú mǒ
지이 이이 여우 까오 파안 푸우 투오 무어

기억의 연고를 자꾸 다시 바르네

[记忆] jì yì 기억할기. 지억할 억/기억
[油膏] yóu gāo 기름 유, 기름 고/연고
[反复] fǎn fù 돌이킬 반, 돌아올 복/반복하다
[涂抹] tú mǒ진흙 도, 바를 말/바르다

无 法 愈 合 的 伤 口
wú fǎ yù hé de shāng kǒu

우우 파아 위이 허어 더 샤앙 커우

아물지 않는 상처는 없어

[愈合] yù hé 나을 유, 합할 합/아물다
[伤口] shāng kǒu 칠 상, 입구/상처

你 的 回 头 划 伤 了 沉 默
nǐ de huí tóu huá shāng le chén mò
니 더 훼이 터우 후아 샤앙러 처언 무어

너의 거절은 침묵이란 찰과상을 내지

[回头] huí tóu 돌 회, 머리 두/거절
[划伤] huá shāng 그을 획, 다칠 상/찰과상
[沉默] chén mò 가라앉을 침, 입닫을 묵/침묵

那 夜 重 逢 停 止 漂 泊
nà yè chóng féng tíng zhǐ piāo bó
나아 이에 추웅 펑 티잉 져어 피아오 뿌어

그 날 밤 재회로 방황을 그치고

[重逢] chóng féng 만날 봉/재회하다
[停止] tíng zhǐ 멈출 정, 그칠 지/멈추다
[漂泊] piāo bó 다닐 표, 배 댈 박/방황하다

你 曾 回 来 过
nǐ céng huí lái guò
니이 처엉 훼이 라이 구어

너 다시 돌아오고

[曾] céng 처엉거듭 증/다시

相 濡相 忘 都 是 疼 痛
xiāng rú xiāng wàng dōu shì téng tòng
시앙 뤼 시랑 와앙 떠우 셔 터엉 토옹

서로 잊고 울음 짓는 건 쓰라린 아픔

[相濡] xiāng rú 서로 상, 젖을 유/서로 눈물 짖다
[相忘] xiāng wàng 서로 상, 잊을 망/서로 잊고 지내다
[疼痛] téng tòng 아플 동, 아파할 통/쓰라린 아픔

只 因 昨 日 善 良 固 执
zhǐ yīn zuó rì shàn liáng gù zhí
즈어 이인 쭈오 러 샤안 랴앙 꾸우 즈어

지난 날 선의의 고집 때문에

[只因] zhǐ yīn 다만 지, 인할 인/단지~으로 인하여
[善良] shàn liáng 착할 선, 어질 량선량하다
[固执] gù zhí 굳을 고, 잡을 집고집하다

委 屈 着 彼 此
wěi qu zhe bí cǐ
웨이 취 저어 삐이 처

피차를 서운하게 한 것

[委屈] wěi qu 맡길 위, 굽을 굴/서운하게 하다

打 碎 信 物 取 消 来 世
dǎ suì xìn wù qǔ xiāo lái shì
따아 쉐이 시인 우우 취- 샤오 라이 셔어

증표를 깨 부수고 미래를 잊자고

[打碎] dǎ suì 칠 타, 부술 쇄/부수다
[来世] lái shì 올 래, 대 세/미래

遗憾 无 法 说惊 觉 心 一缩
yí hàn wú fǎ shuō jīngjiao xīn yīsuō
이이 하안 우우 파아 슈어 지앙지아오 신 이이 수오

말 할 수 없어 아쉬워 놀라 마음이 오그라들어

紧紧 握着 青 花 信物
jǐn jǐn wò zhe qīng huā xìn wù
지인 지인 워 져 치잉 후와 시인 우우

청화백자 증표 손에 바짝 쥔 채로

信 守 着 承 诺
xìn shǒu zhe chéng nuò
씨인 셔우 져- 처엉 누어

약속을 지키고 있어

离别总 在 失意中 度 过
lí bié zǒng zài shī yì zhōng dù guò
리이 비에 쪼옹 짜이 셔-이이 쭝 뚜우 꾸어

헤어지면 항상 실의에 빠지고

记忆 油 膏 反 复 涂 抹
jì yì yóu gāo fǎn fù tú mǒ
지이 이이 여우 까오 파안 푸우 투오 무어

기억의 연고를 자꾸 다시 바르네

无 法 愈 合 的 伤 口
wú fǎ yù hé de shāng kǒu
우우 파아 위이 허어 더 샤앙 커우

아물지 않는 상처는 없어

你 的 回 头 划 伤 了 沉 默
nǐ de huí tóu huá shāng le chén mò
니 더 훼이 터우 후아 샤앙러 처언 무어

너의 거절은 침묵이란 찰과상을 내지

紧 紧 握 着 青 花 信 物
jǐn jǐn wò zhe qīng huā xìn wù
지인 지인 워 져 치잉 후와 시인 우우

청화백자 증표 손에 바짝 쥔 채로

雕 刻 着 寂 寞
diāo kè zhe jì mò
띠아오 커어 져 지이 무어

적막을 새기고 있어

就 好 像 我 无 主 的 魂 魄
jiù hǎo xiàng wǒ wú zhǔ de hún pò
지어우 하오 시앙 워- 우우 쭈오 더 후운 푸어

마치 내 주인 없는 혼백 처럼

[好像] hǎo xiàng 하오 시앙좋을 호, 모양 상마치~처럼
[魂魄] hún pò 후운 푸어넋 혼, 넋 백혼백

纠 缠 过 往 无 端 神 伤
jiū chán guò wǎng wú duān shén shāng
지어우 차안 꾸어 와앙 우우 뚜안 셔언 샤앙

예전부터 얽혀와 까닭 모를 낙담

[纠缠] jiū chán 얽힐 규, 얽힐 전/뒤얽히다
[无端] wú duān 없을 무, 끝 단/까닭없다
[神伤] shén shāng 귀신 신, 다칠 상/낙심하다

摔 碎 谁 也 带 不 走
shuāi suì shuí yě dài bù zǒu
슈아이 쉐이 쉐이 이에 따아 부우 쩌우

그 누구도 이를 깨드려 가져갈 수 없어

[摔碎] shuāi suì땅에 버릴 솔, 부술 쇄/깨뜨리다

你 我 一 场 唤 不 醒 的 梦
nǐ wǒ yì chǎng huàn bù xǐng de mèng
니- 워- 이 차앙 화안 뿌우 시잉 더 머엉

너 나 같이 깨어날 수 없는 꿈이라네

紧 紧 握 着 青 花 信 物
jǐn jǐn wò zhe qīng huā xìn wù
지인 지인 워 져 치잉 후와 시인 우우

청화백자 증표 손에 바짝 쥔 채로

雕 刻 着 寂 寞
diāo kè zhe jì mò
띠아오 커어 져 지이 무어

적막을 새기고 있어

就 好 像 我 无 主 的 魂 魄
jiù hǎo xiàng wǒ wú zhǔ de hún pò
지어우 하오 시앙 워- 우우 쭈오 더 후운 푸어

마치 내 주인 없는 혼백 처럼

纠 缠 过 往 无 端 神 伤
jiū chán guò wǎng wú duān shén shāng

지어우 차안 꾸어 와앙 우우 뚜안 셔언 샤앙

예전부터 얽혀와 까닭 모를 낙담

摔　碎 谁 也 带不走
shuāi suì shuí yě dài bù zǒu
슈아이 쉐이 쉐이 이에 따아 부우 쩌우

그 누구도 이를 깨드려 가져갈 수 없어

你我一场　唤　不醒　的 梦
nǐ wǒ yì chǎng huàn bù xǐng de mèng
니- 워- 이 차앙 화안 뿌우 시잉 더 머엉

너 나 같이 깨어날 수 없는 꿈이라네

你我一场　唤　不醒　的 梦
nǐ wǒ yì chǎng huàn bù xǐng de mèng
니- 워- 이 차앙 화안 뿌우 시잉 더 머엉

너 나 같이 깨어날 수 없는 꿈이라네

3 鬼迷心窍

Guǐ mí xīn qiào

꿰이미 신 치아오/ 귀신에 홀려

李宗盛 Lǐ zōng shèng

曾经 真 的 以为 人生 就 这样了

Céngjīng zhēn de yǐwéi rénshēng jiù zhèyàngle

처엉 징 쪄언 더 이웨이 러언셔엉 지어우 쪄어 야앙러

예전엔 진정 인생 이런 거라고 여겼지

[曾经] céng jīng 일찍 증, 날 경/일찌기
[以为] yǐ wéi 행할 위/여기다
[这样] zhè yàng 이 저, 모양 양/이와 같다

平静 的 心 拒绝 再 有 浪潮

Píngjìng de xīn jùjué zài yǒu làngcháo

피잉 지잉 더 씬 쥐-쥐에 짜이 여우 라앙 챠오

속 편한 마음 다시금 파도를 거부하고

[浪潮] làng cháo 물결 랑, 조수 조/물결

斩了 千次的 情丝 却 断 不了

Zhǎnle qiāncì de qíngsī què duàn bùliǎo

짜-안러 취앤 츠 더 치잉 쓰으 취에 두안 뿌 랴오

천번은 끊어졌던 사랑 끝내 그만두지 못하고

[斩] zhǎn 벨 참/속이다

[情丝] qíng sī 뜻 정, 명주실 사/얽히고 설킨
[却] què 물러날 각/없어지다, ~해 버리다

百转　千折　它将　我　围绕
Bǎi zhuǎn qiān zhé tā jiāng wǒ wéiào
바이 쮸안 취앤 쪄- 타 지앙 워- 웨이라오

돌고돌아 다시 나를 에워싸오고

[百转千折] Bǎi zhuǎn qiān zhé -백번돌고 천번 꺽어짐
[围绕] wéi rào 에울 위, 얽힐 요/둘러싸다

有人　问　我　你 究竟　是　那里好
Yǒurén wèn wǒ nǐ jiùjìng shì nàlǐ hǎo
여우 러언 워언 워- 니- 지우 지징 셔 나아리이 하오

사람들은 묻네 데체 너 어디가 좋은 거냐고

[究竟] jiù jìng 궁구할 구, 끝날 경/도데체

这么　多年　我　还忘　不了
Zhème duōnián wǒ hái wàng bu liǎo
쪄어 머 뚜어 니앤 워- 하이 와앙 부 랴오

이토록 오랫동안 나 역시 잊지 못하네

春风　再美　也 比不上　你的笑
Chūnfēng zài měi yě bǐ bù shàng nǐ de xiào
추운 퍼엉 짜이 메이 이에 비이 부 샤앙 니 더 샤오

봄 바람 아무리 예쁜들 너 미소에 비기리오
[比不上] bǐ bu shàng /~보다 못하다

没 见过 你的 人 不会 明了
Méi jiànguò nǐ de rén bú huì míngliǎo
메이 지앤구어 니-더 러언 부우 훼이 미잉랴오

널 모르는 사람들이야 알 리가 없지

[不会] bú huì /~할 수 가 없다

是鬼迷了心窍也好
Shì guǐ míle xīnqiào yě hǎo
셔 궤이 미일러 시인 치아오 이에 하오

그건 귀신에 홀린 거라해도 돼

[鬼迷心窍] guǐ mí xīnqiào 귀신 귀, 해맬 미, 마음 심, 구멍 규/귀신에 홀리다

是 前世 的 因缘 也好
Shì qiánshì de yīnyuán yě hǎo
셔- 치앤셔- 더 이인 위앤 이에 하오

그건 전생의 인연이라 해도 돼

[因缘] yīnyuán 인할 인, 말미암을 연/인연

然而 这 一切 已 不再 重要
Rán'ér zhè yīqiè yǐ bú zài zhòngyào
라안 어얼 쪄- 이이 치에 부우 짜이 쭈웅 야오

그래도 이 모든 것 더는 중요하지 않아

[然而] Rán'ér 그러할 연, 말이을 이/그래도
[一切] yī qiè 일, 절박할 절/모든 것
[不再] bú zài 아니 부, 다시 재/더는~않다

如果　你 能够　 重回　　 我 怀抱
Rúguǒ nǐ nénggòu chóng huí wǒ huáibào
루우 구어 니- 너엉 꺼우 추웅 훼이 워- 화이 빠오

만약 다시 내 너를 안을 수 있다면

[如果] rú guǒ 같을 여, 실과 과/만일
[能够] néng gòu 재능 능, 많은 구/~할 수 있다
[重回] chóng huí 저급할 중, 돌 회/다시금
[怀抱] huái bào 품을 회, 안을 포/품에 안다

是　命运　　的 安排 也好
Shì mìngyùn de ānpái yě hǎo
셔 미잉 위인 더 아안 파이 이에 하오

그건 운명이라고 해도 좋아

[命运] mìng yùn 목숨 명, 돌 운/운명
[安排] ān pái 편안 할 안, 늘어설 배/안배

是 你　存心　 的 捉弄　　也好
Shì nǐ cúnxīn de zhuōnòng yě hǎo
셔 니- 추운 신- 더 쮸어 노옹 이에 하오

그건 니 마음대로 라 해도 좋아

[存心] cún xīn 있을 존, 마음 심/마음
[捉弄] zhuō nòng 잡을 착, 휘롱할 롱/농락하다

然而　 这　一切 也 不再　 重要
Rán'ér zhè yīqiè yě bù zài zhòngyào
라안 어얼 쪄- 이이 치에 부우 짜이 쭈웅 야오

그래도 이 모든 것 더는 중요하지 않아

我愿意随你到天涯海角
Wǒ yuànyì suí nǐ dào tiānyáhǎijiǎo
워- 위엔위- 쉐이 니- 티앤 야아 하이 쟈오

나 세상 끝까지 너를 따라 가야해

[随] suí 따를 수/따라가다
[天涯海角] tiān yá hǎi jiǎo
하늘 천, 물가 애, 바다 해, 뿔 각
하늘 가와 바다의 끝 (세상 끝)

虽然 岁月 总是 匆匆的 催人 老
Suīrán suìyuè zǒng shì cōngcōng de cuī rén lǎo
쑤이 라안 쉐이 위에 쪼옹 셔 초옹 초옹 더 추이 러언 라오

비록 세월은 사람을 바삐 늙어가게 하지만

[虽然] suī rán 비록 수, 그러할 연/비록~일지라도
[总是] zǒng shì 합칠 총, 옳을 시/언제나
[匆匆] cōng cōng 바쁠 총/황급히
[催人] cuī rén 재촉할 최, 사람 인/재촉하다

虽然 情爱 总是 让人 烦恼
Suīrán qíng'ài zǒng shì ràng rén fánnǎo
쑤이 라안 치잉 아이 쪼옹 셔 라앙 러언 파안 나오

비록 사랑이란 항상 사람을 고뇌케 하지만

[烦恼] fán nǎo 괴로워 할 번, 괴로워할 뇌/번뇌하다

虽然 未来 如何 不能 知道
Suīrán wèilái rúhé bùnéng zhīdào
쑤이 라안 웨이 라이 루어 허어 뿌우 너엉 쯔- 다오

비록 미래가 어찌될지 알 순 없지만
[如何] rúhé 같을 여, 어찌 하/어떻게

现在　说　再见　会不会　太早
Xiànzài shuō zàijiàn huì bù huì tài zǎo
시앤짜이 슈어 짜이 지앤 훼이 부우 훼이 타이 짜오

지금 안녕이라 말하는 건 너무 빠른 걸까

4 当你老了
Dāng nǐ lǎole
땅 니 라올러/ 당신도 나이들어

赵照 Zhào zhào

当　你老了　头发　白了
Dāng nǐ lǎole tóufǎ báile
따앙 니-라올러 터우파아 바일러

그대 늙어　머리카락 하예지고

[头发] tóu fǎ 머리 두, 쏠 발/두발

睡意　昏沉
Shuìyì hūnchén
슈예이 이이 후운 쳐어언

졸음에 겨워하고

[睡意] shuì yì 잠잘 수, 뜻 의/졸음
[昏沉] hūn chén 날 저물 혼, 가라앉을 침/흐리멍덩

当　你老了　走不　动了
Dāng nǐ lǎole zǒu bu dòngle
따앙 니- 라올러 쩌우 부 뚜웅러

그대 늙어 이젠 걷지도 못하고

[走不动] zǒu bu dòng 달릴 주, 아니 부, 움직일 동/못 걷다

炉火　旁　打盹　回忆　青春
Lú huǒ páng dǎdǔn huíyì qīngchūn

루우 후어 파앙 따아뜬 훼이이- 치잉추운

화롯불 옆에 졸며 청춘을 회상하리

[炉火] lú huǒ 화로 로, 불 화/화롯불
[打盹] dǎ dǔn 칠 타, 졸 순/졸다
[回忆] huí yì 돌 회, 기억할 억/회상하다

多少人 曾 爱你 青春 欢畅 的 时辰
Duōshǎo rén céng ài nǐ qīngchūn huānchàng de shíchén
뚜어샤오 런 처엉 아이니- 치잉추운 후안 차앙 더 셔어처언

얼마나 많은 이들이 젊고 활달한 당신을 사랑했었던가

[欢畅] huān chàng 기뻐할 환, 통할 창/즐겁다
[时辰] shí chén 때 시, 때 신/때

爱慕 你的 美丽 假意 或 真心
Àimù nǐ dì měilì jiǎyì huò zhēnxīn
아이 무우 니- 더 메일리이 지아이이 후어 쪄언 씨인

거짓 이든 진심이든 당신의 미모를 애모했지

[爱慕] Ài mù 사랑 애, 사모할 모/애모하다
[美丽] měi lì 아름다울 미, 고울 려/미려하다
[假意] jiǎ yì 거짓 가, 뜻 의/거짓된 마음

只有 一个人 还 爱你 虔诚 的 灵魂
Zhǐyǒu yīgè rén hái ài nǐ qiánchéng de línghún
쯔-여우 이거러언 하이 아이 니- 치앤 처엉 더 리잉 후운

단 한 사람 당신의 마음을 경건히 사랑하고 있어

[只有] zhǐ yǒu 다만 지, 있을 유/오직~일 뿐
[虔诚] qián chéng 삼갈 건, 정성 성/경건한
[灵魂] líng hún 신령 령, 넋 혼/마음

爱 你 苍老 的 脸上 的 皱纹
Ài nǐ cānglǎo de liǎn shàng de zhòuwén
아이 니 차앙 라오 더 리앤 샤앙 더 쩌우 워언

그대 늙어 버린 얼굴 주름도 사랑하고

[苍老] cāng lǎo 푸를 창, 늙을 로/나이들어 보이다
[脸上] liǎn shàng 뺨 검, 위 상/얼굴에
[皱纹] zhòu wén 주름 추, 무늬 문/주름

当 你老了 眼眉 低垂
Dāng nǐ lǎole yǎnméi dī chuí
땅 니 라올러 이앤메이 디췌이

그대 늙어 눈썹 쳐지고

[眼眉] yǎn méi 이엔 메이눈 안, 눈썹 미/눈썹
[低垂] dī chuí 띠 췌이낮을 저, 늘어질 수/쳐지다

灯火 昏黄 不定
Dēnghuǒ hūnhuáng bú dìng
떠엉 후어 후운 화앙- 부우 띠잉

등불도 어스레 어렴풋하리

[灯火] Dēng huǒ 등잔 등, 불/화등불
[昏黄] hūn huáng 날저물 혼, 누를 황/어스레하다
[不定] bú dìng 아닐 부, 정할 정/어렴풋

风 吹 过来 你的 消息
Fēng chuī guòlái nǐ de xiāo·xi
퍼엉 췌이 구어라이 니 더 시아오시

바람 결에 그대 소식 듣고

[风吹] fēng chuī 바람 풍, 불 취/바람 불어
[消息] xiāo xi 사라질 소, 숨 식/소식

这 就是 我 心里 的 歌
Zhè jiùshì wǒ xīnlǐ de gē
쪄 지우 셔 워- 신리 더 꺼-

이 것은 그저 내 마음 속 노래

多少人 曾 爱你 青春 欢畅 的 时辰
Duōshǎo rén céng ài nǐ qīngchūn huānchàng de shíchén
뚜어샤오 런 처엉 니- 치잉 추운 후안 차앙 더 셔어 처언

얼마나 많은 이들이 젊고 활달한 그대 사랑했었던가

爱慕 你的 美丽 假意 或 真心
Àimù nǐ dì měilì jiǎyì huò zhēnxīn
아이 무우 니- 디 메일리이 지아이이 후어 쪄언 씨인

거짓 이든 진심이든 그대의 미모를 애모했지

只有 一个人 还 爱你 虔诚 的 灵魂
Zhǐyǒu yīgè rén hái ài nǐ qiánchéng de línghún
쯔-여우 이거러언 하이 아이 니- 치앤 처엉 더 리잉 후운

단 한 사람 그대의 마음을 경건히 사랑하고 있어

爱 你 苍老 的 脸上 的 皱纹
Ài nǐ cānglǎo de liǎn shàng de zhòuwén
아이 니 차앙 라오 더 리앤 샤앙 더 쪄우 워언

그대 늙어 버린 얼굴 주름도 사랑하고

当 我 老了我 真 希望
Dāng wǒ lǎole wǒ zhēn xīwàng
따앙 워- 라올러 워- 쪄언 시-와앙

내 늙으면 난 진정 바란다네

这 首歌 是 唱 给 你的
Zhè shǒu gē shì chàng gěi nǐ de
쩌 셔우 꺼- 셔- 차앙 게이 니 더

이 노래 한곡 그대 드리리

5 成都
Chéng du
처엉 뚜/ 청도

趙雷 Zhào léi

让　我 掉下　眼泪的　不止　昨夜的　酒
Ràng wǒ diào xià yǎnlèi de bùzhǐ zuóyè de jiǔ
라앙워- 띠아오씨아 이앤레이더 부쯔-쭈오이에 더지우

나 눈물짓게 만드는 건 어젯 밤의 술뿐인 것은 아니야

[掉下] diào xia 흔들 도, 아래 하/떨어뜨리다
[眼泪] yǎn lèi 눈 안, 눈물 루/눈물
[不止] bù zhǐ 아닌 부, 그칠 지/~뿐 만이 아니다

让　我　依依 不舍的　不止　你的　温柔
Ràng wǒ yīyī bù shě de bùzhǐ nǐ de wēnróu
라앙 워- 이-이- 뿌우셔- 더 뿌우쯔- 니 디 워언 러우

널 그립게 만드는 게 너의 상냥함 때문인 것은 아니야

[依依] yīyī 의지할 의/그리워하는
[不舍] bù shě 아니 부, 버릴 사/멈추지 않다
[温柔] wēnróu 따뜻할 온, 부드러울 유/따뜻하고 상냥하다

雨路　还要　走　多久　你 攥着　我的　手
Yǔ lù hái yào zǒu duōjiǔ nǐ zuànzhe wǒ de shǒu
위-루- 하이야오 쩌우뚜어 지어우 니쭈안쪄 워더 셔우

빗길 오랫동안 걸어가며 너는 네 손을 쥐고 있었지

[雨路] yǔ lù 비 우, 길 로/빗길
[还要] hái yào 다시 환, 요긴할 요/또한
[多久] duō jiǔ 많을 다, 오랠 구/오래
[攥着] zuàn zhe 잡을 촬, 어조사 착/쥐고있다

让 我 感到 为难的 是 挣扎 的 自由
Ràng wǒ gǎndào wéinán de shì zhēngzhá de zìyóu
라앙 워 까안다오 웨이나안 더 셔 쩌엉짜아 디쯔여우

나를 괴롭게 만든 건 바로 참아야만 한다는 그 것

[感到] gǎn dào 까안 따오느낄 감, 이를 도/느끼다
[为难] wéi nán 웨이 나안행할 위, 어려울 난/괴롭히다
[挣扎] zhēng zhá 쩌엉 쨔아참을 쟁, 뺄 찰힘써/버티다

分别 总是 在九月 回忆是 思念 的 愁
Fēnbié zǒng shì zài jiǔ yuè huíyì shì sīniàn de chóu
퍼언비에 쪼옹셔 짜이 지어우위에 훼이이셔 쓰니앤 더 쳐우

이별은 언제나 **9**월에 오고 추억은 항상 쓸쓸한 그리움

[分别] fēn bié 나눌 분, 다를 별/이별
[总是] zǒng shì 합칠 총, 옳을 시/언제나
[回忆] huí yì 돌 회, 기억할 억/추억
[思念] sī niàn 생각 사, 생각할 념/그리워하다

深秋 嫩绿的 垂柳 亲吻着 我 额头
Shēnqiū nènlǜ de chuíliǔ qīnwěnzhe wǒ étóu
셔언치어우 너언뤼- 더 췌이리어우 치인원져 워어터우

가을은 깊고 연록 능수버들 내 이마에 입 맞추고

[深秋] Shēn qiū 우깊을 심, 가을 추/깊은 가을
[嫩绿] nèn lǜ 어릴 눈, 초록 빛 록/연록색
[垂柳] chuí liǔ 늘어질 수, 버드나무 류/능수버들
[亲吻] qīn wěn 친할 친, 입술 문/입 맞추다
[额头] é tóu 이마 액, 머리 두/이마

在 那座 阴雨的 小城里 我 从未 忘记你
Zài nàzuò yīnyǔde xiǎochénglǐ wǒ cóng wèiwàngjì nǐ
짜이 나- 쭈오 이인위이 더 샤오처엉 리-워-초옹웨이 와앙 지-니-

그 장마비 내리는 작은 도시의 널 난 잊지 못하네

[阴雨] yīn yǔ 이그늘 음, 비 우/장마
[从未] cóng wèi 좇을 종, 아닐 미/여지껏~못하다
[忘记] wàng jì 잊을 망, 기억할 기/잊어버리다

成都 带不走的 只有你
Chéngdū dài bù zǒu de zhǐyǒu nǐ
처엉 뚜- 따이 부- 쩌우 더 쯔-여우 니-
청뚜가 데려 가지 못한 건 바로 너라네

[只有] zhǐ yǒu 다만 지, 있을 유/오직~일 뿐

和 我 在成都的 街头 走一走 喔哦 喔哦
Hé wǒ zài chéngdū de jiētóu zǒu yī zǒu ō ó ō ó
허어워- 짜이 처엉뚜- 더 지에터우 저우 이-쩌우 오~

나 같이 처엉 뚜- 의 거리를 같이 걸어보자

[街头] jiē tóu 길 가, 머리 두/거리
[走一走] zǒu yī zǒu 달릴 주/걸어보다

直到 所有的 灯都 熄灭了 也 不停留
Zhídào suǒyǒu de dēng dōu xímièle yě bù tíngliú
쯔어따오 수오여우 더 떠엉떠우 씨-미엘랴오 이예 뿌우 티잉 리어우

거리의 불빛이 다 꺼질 때까지 멈추지 말고

[直到] zhí dào 곧을 직, 이를 도/~에 이르다
[熄灭] xí miè 꺼질 식, 다할 멸/꺼지다
[停留] tíng liú 멈출 정, 머무를 류/멈추다

你 会 挽着 我的 衣袖 我 会 把手 揣进裤兜
Nǐ huì wǎnzhe wǒ de yī xiù wǒ huì bǎshǒu chuāi jìn kùdōu
니- 훼이 와안쯔어 워- 더 이이씨어우 워- 훼이 바아셔유 츄아이 진 쿠- 떠우

넌 내 팔짱을 끼고 난 바지주머니 에 손을 집어넣고 걷자

[挽着] zhí dào 당길 만, 오조사 착/팔짱 끼다
[衣袖] yī xiù 옷 의, 소매 수/옷 소매
[揣进] chuāi jìn 헤아릴 췌, 나아갈 진/밀어넣다
[裤兜] kù dōu 바지 고, 투구 두/바지 주머니

走 到 玉林路 的 尽头 坐 在 小酒馆的 门口
Zǒu dào yùlín lù de jìntóu zuò zài xiǎo jiǔguǎn de ménkǒu
쩌우 따오 위-리인 루- 더 찌인 터우 쭈오 짜이 샤오지어우꾸안 더 머언 커우

위-리인 루- 끝까지 가 작은 술집 문 어귀에 앉자

[走到] zǒu dào 쩌우 따오달릴 주, 이를 도/걸어가다
[玉林路] yùlín lù 위-리인 루-지명/옥림로

[尽头] jìn tóu 찌인 터우다할 진, 머리 두/끝
[门口] mén kǒu 머언 커우문 문, 입 구문/어귀

分别 总是 在九月 回忆是 思念 的 愁
Fēnbié zǒng shì zài jiǔ yuè huíyì shì sīniàn de chóu
퍼언비에 쪼옹셔 짜이 지어우위에 훼이이셔 쓰니앤 더 쳐우

이별은 언제나 9월에 오고 추억은 항상 쓸쓸한 그리움

深秋 嫩绿的 垂柳 亲吻着 我 额头
Shēnqiū nènlǜ de chuíliǔ qīnwěnzhe wǒ étóu
셔언치어우 너언뤼- 더 췌이리어우 치인원져-워어터우

가을은 깊고 연록 능수버들 내 이마에 입 맞추고

在 那座 阴雨的 小城里 我 从未 忘记你
Zài nàzuò yīnyǔde xiǎochénglǐ wǒ cóng wèiwàngjì nǐ
짜이 나- 쭈오 이인위이 더 샤오처엉 리-워-초옹웨이 와앙 지-니-

그 장마비 내리는 작은 도시의 널 난 잊지 못하네

成都 带不走的 只有你
Chéngdū dài bù zǒu de zhǐyǒu nǐ
처엉 뚜- 따이 부- 쩌우 더 쯔-여우 니-

청뚜가 데려 가지 못한 건 바로 너라네

和 我 在成都的 街头 走一走 喔哦 喔哦
Hé wǒ zài chéngdū de jiētóu zǒu yī zǒu ō ó ō ó
허어워- 짜이 처엉뚜- 더 지에터우 저우 이-쩌우 오~

나 같이 처엉 뚜- 의 거리를 같이 걸어보자

直到　所有的　灯都　熄灭了 也　不停留
Zhídào suǒyǒu de dēng dōu xímièle yě bù tíngliú
쯔어따오 수오여우 더 떠엉더우 씨-미엘랴오 이예 뿌우 티잉 리어우

거리의 불빛이 다 꺼질 때까지 멈추지 말고

你 会　挽着　我的　衣袖 我 会 把手　揣进裤兜
Nǐ huì wǎnzhe wǒ de yī xiù wǒ huì bǎshǒu chuāi jìn kùdōu
니- 훼이 와안쯔어 워- 더 이이씨어우 워- 훼이 바아셔유 츄아이 진 쿠- 떠우

넌 내 팔짱을 끼고 난 바지주머니 에 손을 집어넣고 걷자

走　到 玉林路　的 尽头 坐　在 小酒馆的 门口
Zǒu dào yùlín lù de jìntóu zuò zài xiǎo jiǔguǎn de ménkǒu
쩌우 따오 위-리인 루- 더 찌인 터우 쭈오 짜이 샤오 지어우꾸안 더 머언 커우

위-리인 루- 끝까지 가 작은 술집 문 어귀에 앉자

和 我 在成都的　街头 走一走　喔哦 喔哦
Hé wǒ zài chéngdū de jiētóu zǒu yī zǒu ō ó ō ó
허어워- 짜이 처엉뚜- 더 지에터우 저우 이-저우 오~

나 같이 처엉 뚜- 의 거리를 같이 걸어보자

直到　所有的　灯都　熄灭了 也　不停留
Zhídào suǒyǒu de dēng dōu xímièle yě bù tíngliú
쯔어따오 수오여우 더 떠엉떠우 씨-미엘랴오 이예 뿌

우 티잉 리어우
거리의 불빛이 다 꺼질 때까지 멈추지 말고

和 我 在成都的 街头 走一走 喔哦 喔哦
Hé wǒ zài chéngdū de jiētóu zǒu yī zǒu ō ó ō ó
허어워- 짜이 처엉뚜- 더 지에터우 저우 이-쩌우 오~

나 같이 처엉 뚜- 의 거리를 같이 걸어보자

直到 所有的 灯都 熄灭了 也 不停留
Zhídào suǒyǒu de dēng dōu xímièle yě bù tíngliú
쯔어따오 수오여우 더 떠엉떠우 씨-미엘랴오 이예 뿌
우 티잉 리어우

거리의 불빛이 다 꺼질 때까지 멈추지 말고

你 会 挽着 我的 衣袖 我 会 把手 揣进裤兜
Nǐ huì wǎnzhe wǒ de yī xiù wǒ huì bǎshǒu chuāi jìn kùdōu
니- 훼이 와안쯔어 워- 더 이이씨어우 워- 훼이 바아
셔유 츄아이 진 쿠- 떠우

넌 내 팔짱을 끼고 난 바지주머니 에 손을 집어넣고
걷자

走 到 玉林路 的 尽头 坐 在 小酒馆的 门口
Zǒu dào yùlín lù de jìntóu zuò zài xiǎo jiǔguǎn de ménkǒu
쩌우 따오 위-리인 루- 더 찌인 터우 쭈오 짜이 샤오
지어우꾸안 더 머언 커우

위-리인 루- 끝까지 가 작은 술집 문 어귀에 앉자

和 我 在成都的 街头 走一走 喔哦 喔哦
Hé wǒ zài chéngdū de jiētóu zǒu yī zǒu ō ó ō ó
허어워- 짜이 처엉뚜- 더 지에터우 저우 이-쩌우 오~

나 같이 처엉 뚜- 의 거리를 같이 걸어보자

直到 所有的 灯都 熄灭了 也 不停留
Zhídào suǒyǒu de dēng dōu xímièle yě bù tíngliú
쯔어따오 수오여우 더 떠엉떠우 씨-미엘랴오 이예 뿌우 티잉 리어우

거리의 불빛이 다 꺼질 때까지 멈추지 말고

6 萍聚
Píng jù
피잉쥐/ 만남

李翊君 Lǐ yìjūn/李富興 Lǐ fùxìng

别 管 以后 将 如何 结束
Bié guǎn yǐhòu Jiàng rúhé jiéshù
비에 꾸안 이-허우 지앙 루우허- 지에슈

나중에 어떻게 될지 신경쓰지마

[别管] bié guǎn 다를 별, 대롱 관/상관하지마
[将] Jiàng 장차 장/장차
[如何] rúhé 같을 여, 어찌 하/어떻게

至少 我们 曾经 相聚过
Zhìshǎo wǒmen céngjīng xiāngjùguò
즈-샤오 워-먼 처엉징- 시앙 쥐 구어

적어도 우린 이미 함께했잖아

[至少] zhìshǎo 이를 지, 적을 소/적어도, 최소한
[曾经] céngjīng 일찍 증, 날 경/이미
[相聚] xiāngjù 서로 상, 모일 취/함께하다

不必 费 心地 彼此 约束
Búbì fèi xīndì bǐcǐ yuēshù
부-삐 페이 씬디 비-츠- 위에 슈-

서로 얽매려 마음 쓸 필요 없어
[不必] búbì 부-삐아니 부, 반드시 필/할 필요없어
[费心] fèi xīn 페이 씬쓸 비, 마음 심/마음쓰다

[彼此] bǐcǐ 비-츠-저 피, 이 차/피차

更 不 需要 言语的 承诺
Gèng bù xūyào yányǔ de chéngnuò
꺼엉 뿌 쉬-야오 위앤위-더 처엉누어

굳이 말로 약속할 필요도 없어

[承诺] chéngnuò 받들 승, 대답할 낙/약속

只要我们曾经拥有过
Zhǐyào wǒmen céngjīng yǒngyǒuguò
즈-야오 워-먼 처엉징 유옹 여우 꾸어

우리가 이미 서로를 가졌다면

[只要] zhǐyào 다만 지, 중요로울 요/~이기만 하면
[拥有] yǒngyǒu 안을 옹, 있을 유/가지다

对 你我来讲 已经 足够
Duì nǐ wǒ lái jiǎng yǐjīng zúgòu
뛔이 니- 워- 라이 지앙 이-징 쭈-꺼우

너와 나에겐 이미 충분한 걸

[讲] jiǎng 이야기할 강/말하다
[足够] zúgòu 발 족, 많을 구/충분하다

人 的一生 有 许多 回忆
Rén de yīshēng yǒu xǔduō huíyì
러언 더 이-셩 여우 쉬-뚜어 훼이 이

사람의 일생엔 수많은 기억들이

[许多] xǔduō 허락할 허, 많을 다/많은

[回忆] huíyì 돌 회, 기억할 억/기억

只愿你的追忆有个我
Zhǐ yuàn nǐ de zhuīyì yǒu gè wǒ
즈 위앤 니-더 쮀이 이 여우 거 워-

그저 당신의 기억 속에 내가 있어만 준다면

[追忆] zhuīyì 좇을 추, 기억할 억/추억

别 管 以后 将 如何 结束
Bié guǎn yǐhòu Jiàng rúhé jiéshù
비에 꾸안 이-허우 지앙 루우허- 지에슈

나중에 어떻게 될지 신경쓰지마

至少 我们 曾经 相聚过
Zhìshǎo wǒmen céngjīng xiāngjùguò
즈-샤오 워-먼 처엉징 시앙 쥐 구어

적어도 우린 이미 함께했잖아

不必 费 心地 彼此 约束
Búbì fèi xīndì bǐcǐ yuēshù
부삐 페이 씬디 비-츠- 위에 슈-

서로 얽매려 마음 쓸 필요 없어

更 不 需要 言语的 承诺
Gèng bù xūyào yányǔ de chéngnuò
꺼엉 뿌 쉬-야오 위앤위-더 처엉누어

굳이 말로 약속할 필요도 없어

只要　我们　曾经　拥有过
Zhǐyào wǒmen céngjīng yǒngyǒuguò
즈-야오 워-먼 처엉징 융-여우 꾸어

우리가 이미 서로를 가졌다면

对　你我　来讲　已经 足够
Duì nǐ wǒ lái jiǎng yǐjīng zúgòu
뚜웨이 니- 워- 라이 지앙 이-징 쭈-꺼우

너와 나에겐 이미 충분한 걸

人　的一生　有　许多　回忆
Rén de yīshēng yǒu xǔduō huíyì
러언 더 이-셩 여우 쉬-뚜어 훼이이

사람의 일생엔 수많은 기억들이

只　愿　你的　追忆　有个我
Zhǐ yuàn nǐ de zhuīyì yǒu gè wǒ
즈 위앤 니-더 쮀이이 여우 거 워-

그저 당신의 기억 속에 내가 있어만 준다면

别　管　以后　将　如何　结束
Bié guǎn yǐhòu Jiàng rúhé jiéshù
비에 꾸안 이-허우 지앙 루우허- 지에슈

나중에 어떻게 될지 신경쓰지마

至少　我们　曾经　相聚过
Zhìshǎo wǒmen céngjīng xiāngjùguò
즈-샤오 워-먼 처엉징 시앙 쥐 구어

적어도 우린 이미 함께했잖아

不必 费 心地　彼此 约束
Búbì fèi xīndì bǐcǐ yuēshù
부삐 페이 씬디 비-츠- 위에 슈-

서로 얽매려 마음 쓸 필요 없어

更　不　需要　言语的　承诺
Gèng bù xūyào yányǔ de chéngnuò
꺼엉 뿌 쉬-야오 위앤위-더 처엉누어

굳이 말로 약속할 필요도 없어

只要　我们　曾经　拥有过
Zhǐyào wǒmen céngjīng yǒngyǒuguò
즈-야오 워-먼 처엉징 융-여우 꾸어

우리가 이미 서로를 가졌다면

对　你我　来讲　已经　足够
Duì nǐ wǒ lái jiǎng yǐjīng zúgòu
뛔이 니- 워- 라이 지앙 이-징 쭈-꺼우

너와 나에겐 이미 충분한 걸

人　的一生　有　许多　回忆
Rén de yīshēng yǒu xǔduō huíyì
러언 더 이-셩 여우 쉬-뚜어 훼이이

사람의 일생엔 수많은 기억들이

只　愿　你的　追忆　有个我
Zhǐ yuàn nǐ de zhuīyì yǒu gè wǒ
즈 위앤 니-더 쮀이이 여우 거 워-

그저 당신의 기억 속에 내가 있어만 준다면

7 你是我唯一的执着

Nǐ shì wǒ wéiyī de zhízhuó
니셔워웨이이더 즈어쮸어
넌 나의 유일한 추구

马健涛 Mǎ jiàntāo

你 是 我 唯一的 执著
Nǐ shì wǒ wéiyī de zhízhuó
니- 셔- 워- 웨이이-더 즈어쮸어-

너만이 유일한 나의 추구

[执著] zhízhuó 잡을 집, 붙을 착 着/추구하다

只有 你 能 让 我 快乐
Zhǐyǒu nǐ néng ràng wǒ kuàilè
즈-여우 니- 너엉 라앙 워- 콰이러어-

오직 너만이 날 기쁘게 해

[只有] zhǐyǒu 다만 지, 있을 유/오직 …만 있다

你 是 我 一生的 寄托
Nǐ shì wǒ yīshēng de jìtuō
니-셔- 워- 이-셔엉 더 지이 투어

넌 내 일생을 걸 수 있는 사람

[寄托] jìtuō 부칠 기, 맡길 탁/위탁하다

就算 为你 赴汤 蹈火

Jiùsuàn wèi nǐ fùtāng dǎohuǒ
지우 쑤안 웨이 니- 푸우탕- 따오후어

널 위해선 끓는 물을 건너고 불을 뛰어넘어 가겠어

[赴汤] fùtāng 갈 부, 끓는 물 탕/끓는 물을 헤엄치다
[蹈火] dǎohuǒ 밟을 도, 불 화/불을 밟다

如果 我 忘了 怎么 爱你
Rúguǒ wǒ wàngle zěnme ài nǐ
루우구어 워- 와앙러 쩐머 아이 니-

만일 내가 널, 사랑을 잊는다면

[如果] rúguǒ 같을 여, 실과 과/만약에

那 一定 是 我 失忆 昏迷
Nà yídìng shì wǒ shīyì hūnmí
나아 이이 띵 셔 워- 셔 이- 후운미-

그건 분명 내가 기억을 잃고 혼미에 빠진 것일 뿐

[一定] yídìng 일, 정할 정/반드시
[失忆] shīyì 잃을 실, 기억 억/기억을 잃다
[昏迷] hūnmí 날 저물 혼, 헤맬 미/의식 불명

如果 我 有天 突然 离去
Rúguǒ wǒ yǒu tiān túrán lí qù
루우구어 워- 여우 티앤 투-라안 리이 취

만일 내가 어느 날 갑자기 떠나 버리면

[有天] yǒu tiān /어느 날
[突然] túrán 부딪힐 돌, 그러할 연/갑자기
[离去] lí qù 떠날 리, 갈 거/떠나다

那 一定 是不想 拖累 你
Nà yīdìng shì bùxiǎng tuōlèi nǐ
나아 이이 띵 셔 뿌우 씨앙 투어레이 니-

그건 분명 널 귀찮게 않으려 그런 걸 거야

[拖累] tuōlèi 끌 타, 포갤 루/번거롭게 하다

如果 你忘了 回家的 路
Rúguǒ nǐ wàngle huí jiā de lù
루우구어 니- 와앙러 훼이 쟈- 더 루-

만약 니가 귀가 길을 잊어 먹으면

[回家] huí jiā 돌 회, 집 가/집으로 돌아가다

我 愿 做 星星 陪 你 看顾
Wǒ yuàn zuò xīngxīng péi nǐ kàngù
워-위앤 쭈오 씽씽 페이 니- 카안구-

내가 별이 되어 너를 따라 지켜 주고싶어

[陪] péi 모실 배/곁에서 도와주다
[看顾] kàngù 볼 간, 돌아볼 고/보살피다

如果 你 孤单 夜里 无助
Rúguǒ nǐ gūdān yèlǐ wú zhù
루우구어 니- 꾸단 이에리- 우우 쮸-

만일 니가 한 밤 홀로 외로울 땐

[孤单] gūdān 외로울 고, 홑 단/외톨이
[无助] wú zhù 없을 무, 도울 조/외톨이

化 作梦 与你 朝朝 暮暮

Huà zuò mèng yǔ nǐ zhāo zhāo mù mù
후아 쭈오 머엉 위-니- 쨔오 쨔오 무- 무-

너의 꿈에 나타나 온 종일 있어줄게

[做梦] zuò mèng 지을 주, 꿈 멍/꿈을 꾸다
[朝朝暮暮] zhāo zhāo mù mù 아침 조, 저물 모/온 종일

你 是 我 唯一的 执著
Nǐ shì wǒ wéiyī de zhízhuó
니- 셔- 워- 웨이이-더 즈어쮸어-

너만이 유일한 나의 추구

只有 你 能 让 我 快乐
Zhǐyǒu nǐ néng ràng wǒ kuàilè
즈-여우 니- 너엉 라앙 워- 콰이러어-

오직 너만이 날 기쁘게 해

你 是 我 一生的 寄托
Nǐ shì wǒ yīshēng de jìtuō
니-셔- 워- 이-셔엉 더 지이 투어

넌 내 일생을 걸 수 있는 사람

就算 为你 赴汤 蹈火
Jiùsuàn wèi nǐ fùtāng dǎohuǒ
지우 쑤안 웨이 니- 푸우탕- 따오후어

널 위해선 끓는 물을 건너고 불을 뛰어넘어 가겠어

你 是 我 唯一的 执著
Nǐ shì wǒ wéiyī de zhízhuó

니- 셔- 워- 웨이이-더 즈어쮸어-

너만이 유일한 나의 추구

守护　你是　我的　快乐
Shǒuhù nǐ shì wǒ de kuàilè
셔우 후 니- 셔 워- 더 콰일러어

널 지키는 건 나의 기쁨

[守护] shǒuhù 지킬 수 , 지킬 호/지키다

你 是　我　一生的　寄托
Nǐ shì wǒ yīshēng de jìtuō
爱 你 是 不变的　承诺
Ài nǐ shì búbiàn de chéngnuò
아이 니- 셔 뿌 비앤 더 처엉누어

널 사랑하는 건 불변의 다짐

爱 你 是 不变的　承诺
Ài nǐ shì búbiàn de chéngnuò
아이 니- 셔 뿌 비앤 더 처엉누어

널 사랑하는 건 불변의 다짐

[承诺] chéngnuò 받들 승, 대답할 락/약속

如果　你忘了　回家的　路
Rúguǒ nǐ wàngle huí jiā de lù
루우구어 니- 와앙러 훼이 쟈- 더 루-
만약 니가 귀가 길을 잊어 먹으면

我 愿　做　星星　陪 你 看顾

Wǒ yuàn zuò xīngxīng péi nǐ kàngù
워-위앤 쭈오 씽씽 페이 니- 카안구-

내가 별이 되어 너를 따라 지켜 주고싶어

如果 你 孤单 夜里 无助
Rúguǒ nǐ gūdān yèlǐ wú zhù
루우구어 니- 꾸단 이에리- 우우 쮸-

만일 니가 한 밤 홀로 외로울 땐

化 作梦 与 你 朝朝 暮暮
Huà zuò mèng yǔ nǐ zhāo zhāo mù mù
후아 쭈오 머엉 위-니- 쨔오 쨔오 무- 무-

너의 꿈에 나타나 온 종일 있어줄게

你 是 我 唯一的 执著
Nǐ shì wǒ wéiyī de zhízhuó
니- 셔- 워- 웨이이-더 즈어쮸어-

너만이 유일한 나의 추구

只有 你 能 让 我 快乐
Zhǐyǒu nǐ néng ràng wǒ kuàilè
즈-여우 니- 너엉 라앙 워- 콰이러어-

오직 너만이 날 기쁘게 해

你 是 我 一生的 寄托
Nǐ shì wǒ yīshēng de jìtuō
니-셔- 워- 이-셔엉 더 지이 투어

넌 내 일생을 걸 수 있는 사람

就算　为你　赴汤　蹈火
Jiùsuàn wèi nǐ fùtāng dǎohuǒ
지우 쑤안 웨이 니- 푸우탕- 따오후어

널 위해선 끓는 물을 건너고 불을 뛰어넘어 가겠어

你 是我 唯一的 执著
Nǐ shì wǒ wéiyī de zhízhuó
니- 셔- 워- 웨이이-더 즈어쮸어-

너만이 유일한 나의 추구

守护　你是 我的 快乐
Shǒuhù nǐ shì wǒ de kuàilè
셔우 후 니- 셔 워- 더 콰일러어

널 지키는 건 나의 기쁨

你 是 我 一生的　寄托
Nǐ shì wǒ yīshēng de jìtuō
니-셔- 워- 이-셔엉 더 지이 투어

넌 내 일생을 걸 수 있는 사람

爱 你 是 不变的　承诺
Ài nǐ shì búbiàn de chéngnuò
아이 니- 셔 뿌 비앤 더 처엉누어

널 사랑하는 건 불변의 다짐

你 是我 唯一的 执著
Nǐ shì wǒ wéiyī de zhízhuó

니- 셔- 워- 웨이이-더 즈어쮜어-

너만이 유일한 나의 추구

只有 你能 让 我 快乐
Zhǐyǒu nǐ néng ràng wǒ kuàilè
즈-여우 니- 너엉 라앙 워- 콰이러어-

오직 너만이 날 즐겁게 해

你是 我 一生的 寄托
Nǐ shì wǒ yīshēng de jìtuō
니-셔- 워- 이-셔엉 더 지이 투어

넌 내 일생을 걸 수 있는 사람

就算 为你 赴汤 蹈火
Jiùsuàn wèi nǐ fùtāng dǎohuǒ
지우 쑤안 웨이 니- 푸우탕- 따오후어

널 위해선 끓는 물을 건너고 불을 뛰어넘어 가겠어

你 是我 唯一的 执著
Nǐ shì wǒ wéiyī de zhízhuó
니- 셔- 워- 웨이이-더 즈어쮜어-

너만이 유일한 나의 추구

守护 你是 我的 快乐
Shǒuhù nǐ shì wǒ de kuàilè
셔우 후 니- 셔 워- 더 콰일러어
널 지키는 건 나의 기쁨

你是 我 一生的 寄托

Nǐ shì wǒ yīshēng de jìtuō
니-셔- 워- 이-셔엉 더 지이 투어

넌 내 일생을 걸 수 있는 사람

爱 你 是 不变的 承诺
Ài nǐ shì búbiàn de chéngnuò
아이 니- 셔 뿌 비앤 더 처엉누어

널 사랑하는 건 불변의 다짐

8 後来

Hòulái

허우 라이 / 그 후에

劉若英 Liú ruòyīng

後來 我總算 學會了 如何 去愛

hòulái wǒ zǒngsuàn xuéhuìle rúhé qùài

허우라이 워 쫑수안 쉬에훼이러 루허 취이아이

이후에 나 마침내 사랑이란 어떻게해야는지 알게 되겠지만

[總算 总算] zǒngsuàn/간신히
[学会] xuéhuì /배워서 알다
[如何]rúhé/어떻게

可惜 你 早已 遠去 消失 在 人海

kěxī nǐ zǎoyǐ yuǎnqù xiāoshī zài rénhǎi

커시 니 짜오이 위앤취 시아오셔 짜이 런하이

아쉽지만 넌 이미 멀리 사람들 속으로 사라져버렸네

[可惜] kěxī/아깝게도
[早已]zǎoyǐ/이미

後來 終於 在 眼淚 中 明白

hòulái zhōngyú zài yǎnlèi zhōng míngbái

허우라이 쭝위 짜이 이앤 레이 쪼옹 미잉바이

나중에 마침내 눈물 속에서야 깨닫게 되네

[終於]zhōngyú/마침내

[眼淚]yǎnlèi/눈물
[明白]míngbái/이해하다

有些　人　一旦　錯過　就　不再
yǒuxiē rén yídàn cuòguò jiù bùzài
여우시에런 이딴 추어구어 지우 부우짜이

어떤 이는 한번 지나쳐버리면 다신 만날 수 없다는 걸

[有些]yǒuxiē/어떤, 일부
[錯過 错过]cuòguò/스쳐지나가다

梔子花　白花瓣　落在　我　藍色　百褶裙　上
zhīzihuā báihuābàn luòzài wǒ lánsè bǎizhěqún shàng
쯔즈화 바이후아반 루어짜이 워 란써 바이쩌 췬샹

치자꽃 흰 꽃잎 내 파란 주름치마에 떨어져

[梔子花]zhīzihuā/치자꽃
[花瓣]huābàn/꽃잎
[落在]luòzài/떨어지다
[百褶裙]bǎizhěqún/주름치마

愛你, 你　輕聲　說
ài nǐ nǐ qīngshēng shuō
아이니 니 치잉셩 슈어

사랑해, 넌 나지막이 말하네

[輕聲 轻声]qīngshēng/낮은 목소리

我　低下 頭　聞見　一陣　芬芳
wǒ dīxià tóu wénjiàn yīzhèn fēnfāng
워 디시아 터우 워언지앤 이쪈 퍼언파앙

난 머리 숙여 한껏 향기를 맡아보네

[低下]dīxià/몸을 낮추다
[聞見]wénjiàn/알아보다
[一陣]yīzhèn/한바탕
[芬芳]fēnfāng/꽃향기

那個 永恒的 夜晚 十七歲 仲夏
nàgè yǒnghéng de yèwǎn shíqī suì zhòngxià
나거 유웅헝 더 이에와안 셔치이쉐이 쭈웅시아
你 吻 我的 那個 夜晚
nǐ wěn wǒde nàgè yèwǎn
니 워언 워더 나거 이에와안

영원히 변치 않을 그 밤 열 일곱살 한 여름
너 내게 입맞춘 그날 밤

[永恒]yǒnghéng /영원
[夜晚]yèwǎn/늦은 밤
[仲夏]zhòngxià/한 여름
[吻]wěn/입맞춤

讓 我 往後的 時光 每當 有 感嘆
ràngwǒ wǎnghòude shíguāng měidāng yǒu gǎntàn
랑워 왕허우더 스꽝 메이당여우 까안탄

그 다음부턴 그럴 때마다 놀라웠다네

[讓 让]ràng/~하게 하다
[時光]shíguāng/세월,시간
[每當]měidāng/그때마다

總 想起 當天的 星光
zǒng xiǎngqǐ dāngtiān de xīngguāng

쪼옹 시앙치 땅티앤더 시잉꾸앙
항상 그날의 별빛이 떠올라

[想起]xiǎngqǐ/상기하다
[星光]xīngguāng/별빛

那 時候的 愛情 爲什么 就能 那樣 簡單
nà shíhòude àiqíng wèishénme jiùnéng nàyàng jiǎndān
나셔허우더 아이치잉 웨이션머 지우너엉 나야앙지앤딴

그 때 사랑은 왜 그토록 쉬울 수 있었지?

[爲什么]wèishénme/어째서
[就能]jiùnéng/할 수 있다
[簡單]jiǎndān/쉽다,간단하다

而又是 爲什么 人 年少時
éryòu shì wèishénme rén niánshàoshí
얼 여우셔 웨이션머 러언 니앤 샤오셔

그리고 또 왜 사람이 어릴 때는

[而又]éryòu/또한
[年少時]niánshàoshí/어린 시절

一定 要 讓 深愛的 受傷
yídìng yào ràng shēnàide shòushāng
이이딩 야오 랑 셔언 아이더 셔우샹

꼭 깊이 사랑한 사람이 상처를 받아야만 하는 것인지

[受傷]shòushāng/상처입다

在這 相似的 深夜裡
zàizhè xiāngsìde shēnyèlǐ
짜이저 샹쓰더 션이에리

你 是否 一樣 也 在靜靜 追懷 感傷
nǐ shìfǒu yīyàng yě zàijìngjìng zhuīhuái gǎnshāng
니 셔퍼우이양 이에 짜이 징징 쮀이화이 까안샤앙

그날 같은 이 깊은 밤
너도 마찬가지로 가만히 추억의 감상 속에 있니

[是否]shìfǒu/~인지 아닌지
[靜靜地] jìngjìngde/가만히

如果 當時 我們 能 不那么 倔强
rúguǒ dāngshí wǒmen néng bùnàme juéjiàng。
루구어 땅셔 워먼 넝 뿌우나머 쥐에지양

만약 그때 우리가 그토록 고집만 피우지 않았으면

[倔强] juéjiàng/고집

現在 也 不那么 遺憾
xiànzài yě bùnàme yíhàn
시앤짜이 이에 뿌우나머 이이한

지금 우리도 이토록 아쉬워하진 않을 것을

[遺憾 遗憾]yíhàn/유감스럽다

這些 年來 有沒有 人 能 讓你 不寂寞
zhèxiē niánlái yǒu méi yǒu rénnéng ràng nǐ bùjìmò
쪄시에 니앤라이 여우메이여우 런 넝 랑 니 뿌지무어

지금은 널 쓸쓸하지 않게 해주는 사람은 있니?

[寂寞]jìmò/ 쓸쓸하다

你都 如何 回憶 我 帶著 笑 或是 很 沈默

nǐdōu rúhé huíyì wǒ dàizhe xiào huòshì hěn chénmò
니더우 루우허 훼이이 워 따이쪄 샤오 후어셔 허언
쳐언 무어

넌 날 어떻게 기억해? 웃으며 아님 깊은 침묵으로?

[帶著 带着]dài·zhe/~를 가지고
[或是]huòshì/혹은
[沈默]shěnmò/침묵

後來　我　總算　學會了　如何 去愛
hòulái　wǒ zǒngsuàn xuéhuìle rúhé qùài
허우라이 워 종수안　쉬에훼이러 루허 취이아이

이후에 나 마침내 사랑이란 어떻게해야는지 알게 되겠지만

可惜 你 早已 遠去　消失　在 人海
kěxī nǐ zǎoyǐ yuǎnqù xiāoshī zài rénhǎi
커시 니 짜오이 위앤취 시아오셔 짜이 런하이

아쉽지만 넌 이미 멀리 사람들 속으로 사라져버렸네

後來　終於　在　眼淚　中　明白
hòulái　zhōngyú zài　yǎnlèi　zhōng　míngbái
허우라이 쭝위 짜이 이앤 레이 쭝 미잉바이

나중에 마침내 눈물 속에서야 깨닫게 되네

有些　人　一旦　錯過　就 不再
yǒuxiē rén　yídàn cuòguò jiù　bùzài
여우시에런 이이딴 추어구어 지우 부우짜이

어떤 이는 한번 지나쳐버리면 다신 만날 수 없다는 걸

你都 如何 回憶 我 帶著 笑 或是 很 沈默
nǐdōu rúhé huíyì wǒ dàizhe xiào huòshì hěn chénmò
니더우 루우허 훼이이 워 따이쪄 샤오 후어셔 허언 셔언 무어

넌 날 어떻게 기억해? 웃으며 아님 깊은 침묵으로?

這些 年來 有沒有 人 能 讓你 不寂寞
zhèxiē niánlái yǒu méi yǒu rénnéng ràng nǐ bùjìmò
쪄시에 니앤라이 여우메이여우 런 넝 랑 니 뿌지무어

지금은 널 쓸쓸하지 않게 해주는 사람은 있니?

後來 我總算 學會了 如何 去愛
hòulái wǒ zǒngsuàn xuéhuìle rúhé qùài
허우라이 워 쫑수안 쉬에훼이러 루허 취이 아이

이후에 나 마침내 사랑이란 어떻게해야는지 알게 되겠지만

可惜 你 早已 遠去 消失 在 人海
kěxī nǐ zǎoyǐ yuǎnqù xiāoshī zài rénhǎi
커시 니 짜오이 위앤취 시아오셔 짜이 런하이

아쉽게도 넌 이미 멀리 사람들 속으로 사라져버렸네

後來 終於 在 眼淚 中 明白
hòulái zhōngyú zài yǎnlèi zhōng míngbái
허우라이 쭝위 짜이 이앤 레이 쭝 미잉바이

나중에 마침내 눈물 속에서야 깨닫게 되네

有些 人 一旦 錯過 就 不再
yǒuxiē rén yídàn cuòguò jiù bùzài
여우시에런 이딴 추어구어 지우 부우짜이

어떤이는 한번 지나쳐버리면 다신 만날 수 없다는 걸

後來 我總算 學會了 如何 去愛
hòulái wǒ zǒngsuàn xuéhuìle rúhé qùài
허우라이 워 쫑수안 쉬에훼이러 루허 취이 아이

이후에 나 마침내 사랑이란 어떻게해야는지 알게 되겠지만

可惜 你 早已 遠去 消失 在 人海
kěxī nǐ zǎoyǐ yuǎnqù xiāoshī zài rénhǎi
커시 니 짜오이 위앤취 시아오셔 짜이 런하이

아쉽게도 넌 이미 멀리 사람들 속으로 사라져버렸네

後來 終於 在 眼淚 中 明白
hòulái zhōngyú zài yǎnlèi zhōng míngbái
허우라이 쭝위 짜이 이앤 레이 쭝 미잉바이

나중에 마침내 눈물 속에서야 깨닫게 되네

有些 人 一旦 錯過 就 不再
yǒuxiē rén yídàn cuòguò jiù bùzài
여우시에런 이딴 추어구어 지우 부우짜이

어떤이는 한번 지나쳐버리면 다신 만날 수 없다는 걸

永遠 不會 再 重來
yǒngyuǎn bùhuì zài chónglái
유웅위앤 부우훼이 짜이 초옹라이

영원히 다신 돌아 오지 않겠지

有 一個 男孩 愛著 那個 女孩
yǒu yīgè nánhái àizhe nàgè nǚhái
여우이거 나안하이 아이쪄 나거 뉘하이

그 남자아이가 그 여자아이를 사랑하는 일은

[愛著 爱着]àizhe/사랑하다

[简体]

后来 我 总算 学会了 如何 去爱
hòulái wǒ zǒngsuàn xuéhuì le rúhé qù ài

可惜 你 早已 远去 消失 在 人海
kěxī nǐ zǎoyǐ yuǎnqù xiāoshī zài rénhǎi

后来 终于 在 眼泪 中 明白
hòulái zhōngyú zài yǎnlèi zhōng míngbai

有些 人 一旦 错过 就 不在
yǒuxiē rén yīdàn cuòguò jiù bùzài

栀子花 白花瓣 落在 我 蓝色 百褶裙 上
zhīzihuā báihuābàn luò zài wǒ lánsè bǎizhěqún shàng

爱你 你 轻声说 我 低下 头 闻见 一阵芬芳
ài nǐ nǐ qīngshēng shuō wǒ dīxià tóu wénjian yīzhèn fēnfāng

那个 永恒的 夜晚 十七岁 仲夏
nàge yǒnghéng de yèwǎn shíqī suì zhòngxià

你 吻 我的 那个 夜晚
nǐ wěn wǒ de nàge yèwǎn

让 我 往后的 时光 每当 有 感叹
ràng wǒ wǎnghòu de shíguāng měidāng yǒu gǎntàn

总 想起 当天的 星光
zǒng xiǎngqǐ dàngtiān de xīngguāng

那 时候的 爱情 为什么 就 能 那样 简单
nà shíhou de àiqíng wèishénme jiù néng nàyàng jiǎndān

而又是 为什么 人 年少时
ér yòu shì wèishénme rén nián shǎo shí

一定 要 让 深爱的 人 受伤
yīdìng yào ràng shēnàide rén shòushāng

在 这 相似的 深夜里
zài zhè xiāngsì de shēn yèli

你 是否 一样 也 在 静静 追悔 感伤
nǐ shìfǒu yīyàng yě zài jìngjìng zhuīhuǐ gǎnshāng

如果 当时 我们 能 不那么 倔强
rúguǒ dāngshí wǒmen néng bù nàme juéjiàng

现在 也 不那么 遗憾
xiànzài yě bú nàme yíhàn

你 都 如何 回忆我 带着 笑 或是 很 沉默
nǐ dōu rúhé huíyì wǒ dàizhe xiào huòshì hěn chénmò

这些 年来 有没有 人 能 让 你 不寂寞
zhèxiē nián lái yǒuméiyǒu rén néng ràng nǐ bú jìmò

后来 我 总算 学会了 如何 去爱
hòulái wǒ zǒngsuàn xuéhuì le rúhé qù ài

可惜 你 早已 远去 消失 在 人海
kěxī nǐ zǎoyǐ yuǎnqù xiāoshī zài rénhǎi

后来 终于 在 眼泪 中 明白
hòulái zhōngyú zài yǎnlèi zhōng míngbai

有些人 一旦 错过 就 不在
yǒuxiē rén yīdàn cuòguò jiù bùzài

永远 不会 再 重来 有一个 男孩 爱着 那个女孩
yǒngyuǎn búhuì zài chónglái yǒu yīge nánhái àizhe nàge nǚhái

9 朋友

Péng you

퍼엉 요우 / 친구

周华健 Zhou hua jian

这些　年　一个人

Zhèxiē nián　yígèrén

이 몇 년간 나 혼자

风也过　雨也走

fēng yě guò　yǔ yě zǒu

바람도 견디고 비 와도 걸었네

有过泪　有过错

Yǒuguò lèi　yǒuguò cuò

눈물도 흘렸어 실수도 했어

[泪] lèi눈물 루/눈물
[錯] cuò 섞일 착/잘못하다

还记得　坚持　什么

hái jìdé jiānchí shénme

하지만 뭘 지켜야 하는질 잊진 않았지

[还]hái 다시 환/아직,~뿐 아니라
[记得] jìde 기억하다
[坚持] jiānchí 고수하다

真爱过　才会懂

Zhēn àiguò　cái huì dǒng

진정한 사랑을 하고서 그제야 알았네

[才]cái /~에야 비로서
[会]huì /깨닫다
[懂]dǒng 명백할 동/알다

会寂寞 会回首
huì jìmò huì huíshǒu
외로울 수도 있어, 뒤돌아 볼 수도 있어

[会]huì 모일 회/반드시~할 것이다
[寂寞]jìmò 고요할 적, 적막할 막/쓸쓸하다
[回首]huíshǒu/돌이켜보다

终有梦 终有你
Zhōng yǒu mèng zhōng yǒu nǐ
난 언제나 꿈이 있어 언제나 니가 있어

[终]zhōng 마칠 종/처음부터 끝까지
[梦]mèng 꿈 멍/꿈

在 心中
zài xīn zhōng
내 마음 속에는

朋友 一生 一起走
Péngyǒu yìshēng yìqǐ zǒu
친구야 우리 평생 같이 가자

那些 日子 不再 有
nàxiē rìzi buzài yǒu
그 세월 다신 오지 않아

[日子]rìzi/세월,나날

一句话 一辈子
Yí jù huà yí bèi zi
한 마디 그말에 인생을 걸고

[一辈子]yí bèi zi 무리 배/ 한평생

一生情 一杯酒

Yīshēng qíng yībēijiǔ

한 잔 술에 평생의 정을 담고

[一杯酒]yībēijiǔ/한잔의 술

朋友 不曾 孤单过

Péngyǒu bùcéng gūdān guò

친구여 나 외로운 적 없었네

[不曾]bùcéng 아니 부,일찍 증/일찌기 ~한 적이 없다

[孤单]gūdān 외로울 고, 홑 단/ 외로이

一声朋友 你会懂

yìshēng péngyǒu nǐ huì dǒng

친구의 한 마디 바로 알아차리지

还有伤 还有痛

Hái yǒu shāng hái yǒu tòng

상처도 입지만 고통도 있지만

[伤 傷] shāng 다칠 상/상처

还要走 还有我

hái yào zǒu hái yǒu wǒ

나가야 하면 나도 같이 있다네

这些年 一个人

Zhèxiē nián yígèrén

이 몇 년간 나 혼자

风也过 雨也走

fēng yě guò yǔ yě zǒu

바람도 견디고 비 와도 걸었네

有过泪　　有过错
Yǒuguò lèi　yǒuguò cuò
눈물도 흘렸어 실수도 했어

还记得　坚持　什么
hái jìdé jiānchí shénme
하지만 뭘 지켜야 하는질 잊진 않았지

真爱过　　才会懂
Zhēn àiguò　cái huì dǒng
진정한 사랑을 하고서 그제야 알았네

会寂寞　　会回首
huì jìmò　huì huíshǒu
외로울 수도 있어, 뒤돌아 볼 수도 있어

终有梦　　　　　终有你
Zhōng yǒu mèng　zhōng yǒu nǐ
난 언제나 꿈이 있어 언제나 니가 있어

在　心中
zài xīn zhōng
내 마음 속에는

朋友　　一生　　一起走
Péngyǒu　yìshēng yìqǐ zǒu

친구야 우리 평생 같이 가자

那些 日子 不再 有
nàxiē rìzi buzài yǒu
그 세월 다신 오지 않아

一句话 一辈子
Yí jù huà yí bèi zi
한 마디 그말에 인생을 걸고

一生情 一杯酒
yì shēng qíng yì bēi jiǔ
한 잔 술에 평생의 정을 담고

朋友 不曾 孤单过
Péngyǒu bùcéng gūdān guò
친구여 나 외로운 적 없었네

一声朋友 你会懂
yìshēng péngyǒu nǐ huì dǒng
친구의 한 마디 바로 알아차리지

还有伤 还有痛
Hái yǒu shāng hái yǒu tòng
상처도 입지만 고통도 있지만

还要走 还有我
hái yào zǒu hái yǒu wǒ

나가야 하면 나도 같이 있다네

朋友　　一生　　一起走
Péngyǒu　yìshēng yìqǐ zǒu
친구야 우리 평생 같이 가자
那些　日子 不再 有
nàxiē rìzi buzài yǒu
그 세월 다신 오지 않아

一句话　　一辈子
Yí jù huà　yí bèi zi
한 마디 그말에 인생을 걸고

一生情　　　　一杯酒
yì shēng qíng　yì bēi jiǔ
한 잔 술에 평생의 정을 담고

朋友　　不曾　　孤单过
Péngyǒu　bùcéng gūdān guò
친구여 나 외로운 적 없었네

一声朋友　　　你会懂
yìshēng péngyǒu nǐ huì dǒng
친구의 한 마디 바로 알아차리지

还有伤　　　　还有痛
Hái yǒu shāng　hái yǒu tòng
상처도 입지만 고통도 있지만

还要走　　还有我
hái yào zǒu　hái yǒu wǒ
나가야 하면 나도 같이 있다네

一句话　　一辈子
Yí jù huà　yí bèi zi
한 마디 그말에 인생을 걸고

一生情　　一杯酒
yì shēng qíng　yì bēi jiǔ
한 잔 술에 평생의 정을 담고

10 甜蜜蜜

tián mì mì

티앤 미이 미이 / 달콤한

邓丽君 Dènglìjūn

甜蜜蜜　　你笑得　　甜蜜蜜

tián mì mì , nǐ xiào de tiánmǐmi

티앤 미이 미이, 니 시아오더 티앤 미이미이

달콤해, 너의 미소는 달콤해

[甜]tián 달 첨/달콤하다
[蜜]mì 꿀 밀/꿀
[笑]xiào 웃을 소/웃다

好像　　花儿　　开在　　春风里

hǎoxiàng huā'ér kāi zài chūnfēng li

하오 시앙 화어얼 카이 짜이 츄운 펴엉 리이

마치 봄 바람에 피는 꽃 마냥

[好像]hǎoxiàng 좋을 호, 모양 상/마치~와 같다

开在　　春风里

kāi zài chūnfēng li

카이 짜아이 츄운 펴엉 리이

봄 바람에 피는

在哪里　　在哪里　见过　　你

zaǐ nǎ li, zài nǎ li jiànguo nǐ
짜이 나아알 리이, 짜이 날리 지앤구어 니이

어디선가 널 본 적이 있어

[哪里]nǎ li 어찌 나, 안 리/어디
[见过]jiànguo 볼 견, 지날 과/본 적있다

你的　笑容　这样　熟悉
nǐ de xiàoróng zhèyang shúxī
니디 시아로옹 쪄어양 셔우우 시이

너의 웃는 얼굴　이토록 낯 익은데

[笑容]xiàoróng 웃을 소, 받아들일 용/웃는 얼굴
[这样]zhèyang 이 저, 모양 양/이렇게
[熟悉]shúxī 익을 숙, 갖출 실/익숙하다

我 一时　想不起
wǒ yīshí xiǎngbuqǐ
워어 이이셔어 시앙부우치이

잠시 생각이 안 나

[想不起]xiǎngbuqǐ /기억 나지 않다

啊 在 梦里
a zài mèng li
아아 짜이 머어엉 리이

아 꿈 이었어

[梦里]mèng li 꿈 멍,안 리/ 꿈에

梦里　梦里　见过你
mèng li mèng li jiànguo nǐ
머어엉 리이 멍 리 지앤 구어 니이

꿈에 꿈에 본 건 바로 너 였어

甜蜜　笑得　多甜蜜
tiánmǐ xiào de duō tiánmǐ
티앤 미이 시아오더 뚜어 티앤 미이

너무나 달콤한 그 웃음

是你　是你　梦见的　就是你
shǐ nǐ, shǐ nǐ, mèngjiàn de jiùshǐ nǐ
셔어 니 셔어 니 머엉지앤 더 지우어 셔어 니이

너야 너야 꿈에서 본 건 바로 너 였어

[就]jiù 이룰 취/바로~이다

在 哪里　在　哪里 见过　你
zài nǎ li, zài nǎ li jiànguo nǐ
짜이 나알리 짜이 날리 지앤구어니

어디선가 널 본 적이 있어

你的　笑容　这样　熟悉
nǐ de xiàoróng zhèyang shúxi
니디 시아로옹 쪄어양 셔우우 쉬이

너의 웃는 얼굴 이토록 낯 익은데

我 一时 想不起
wǒ yìshí xiǎngbuqǐ
워 이이셔어 시앙부치

잠시 생각이 안 나

啊 在梦里
a, zài mèng li
아아 짜이 머어어엉 리이

아 꿈 이었어

在哪里 在哪里 见过你
zaǐ nǎ li, zài nǎ li jiànguo nǐ
짜이 나알리이 짜이 날리 지앤구어니

어디선가 어디선가 널 본 적이 있어

你的 笑容 这样 熟悉
nǐ de xiàoróng zhèyang shúxī
니디 시아로옹 쪄어양 셔우우쉬이

너의 웃는 얼굴 이토록 낯 익은데

我 一时 想不起
wǒ yìshí xiǎngbuqǐ

워 이이셔어 시앙부치

잠시 생각이 안 나

啊 在梦里
a zài mèng li
아아 짜이 머어엉 리이

아 꿈 이었어

梦里　梦里　见过你
mèng li mèng li jiànguo nǐ
머엉 리이 머엉 리이 지앤 구어 니이

꿈에 꿈에 본 건 바로 너 였어

甜蜜　笑得　多甜蜜
tiánmǐ xiào de duō tiánmǐ
티앤 미이 시아오더 티앤 미이미이

달콤해, 너의 웃음은 너무 달콤해

是你　是你　梦见的　就是你
shǐ nǐ, shǐ nǐ, mèngjiàn de jiùshǐ nǐ
셔어 니 셔어 니 머엉지앤 더 지우어 셔어 니이

너야 너야 꿈에서 본 건 바로 너 였어

在哪里　　在哪里　见过你
zài nǎ li, zài nǎ li jiànguo nǐ
짜이 나알리이 짜이 날리 지앤구어니

어디선가 어디선가 널 본 적이 있어

你的　笑容　　这样　　熟悉
nǐ de xiàoróng zhèyang shúxi
니디 시아로옹 쪄어양 셔우우쉬이

너의 웃는 얼굴　이토록 낯 익은데

我　一时　想不起
wǒ yìshí xiǎngbuqǐ
워 이이셔어 시앙부치
잠시 생각이 안 나

啊 在梦里
a, zài mèng li
아아 짜이 머엉 리이

아 꿈 이었어

선곡별 가수목록

你怎么说
nǐ zěnme shuō
니 쩐머 슈어/너 뭐라말하니
邓丽君
Dènglìjūn

青花
Qīnghua
칭후아/ 청화백자
周传雄
Zhōu chuán xióng

鬼迷心窍
Guǐ mí xīn qiào
꿰이미신치아오/귀신에 홀려
李宗盛
Lǐ zōng shèng

当你老了
Dāng nǐ lǎole
땅니라올러/당신도 나이들어
赵照
Zhào zhào

成都
Chéng du
처엉 뚜/청도
趙雷
Zhào léi

萍聚
Píng jù
피잉쥐/만남
李翊君 Lǐ yìjūn
李富興 Lǐ fùxìng

你是我唯一的执着
Nǐ shì wǒ wéiyī de zhízhu
니셔워웨이이더 즈어쮸어/넌 나의 유일한 집착
马健涛
Mǎ jiàntāo

後来
Hòulái
허우 라이/그 후에
劉若英
Liú ruòyīng

朋友
Péng you
퍼엉 요우 /친구
周华健
Zhou hua jian

甜蜜蜜
Tián mì mì
티앤 미이 미이 /달콤한
邓丽君
Dènglìjūn